ISBN 978-2-211-05300-6

© 1999, l'école des loisirs, Paris
Loi numéro 49 956 du 16 juillet 1949 sur les publications
destinées à la jeunesse : avril 1999
Dépôt légal : novembre 2007
Imprimé en France par Aubin Imprimeur à Poitiers

CLAUDE PONTI

Monsieur Monsieur et Mademoiselle Moiselle

LE CHAPEAU
À SECRETS

l'école des loisirs
11, rue de Sèvres, Paris 6e

Mademoiselle Moiselle
a besoin d'un chapeau à secrets.
Ses graines sont mélangées,
elle ne sait plus laquelle est la bonne.
C'est pourquoi elle décide
de les planter toutes.

Elle les arrose.

Elle les chauffe.

Dans le premier pot,
un arbre à peluches a poussé.

Dans le deuxième,
c'est un Spaghetti bolognaise.

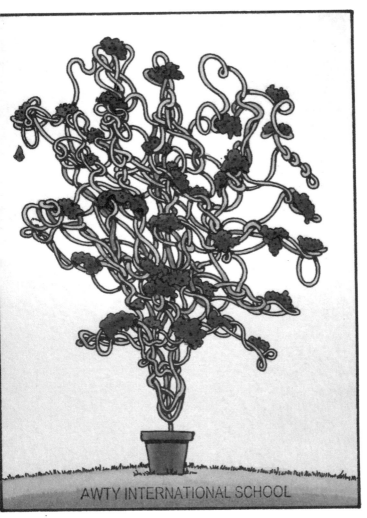

Dans les suivants, des glaces.

Puis une girafe.
Et une forêt profonde,
un monstre enchaîné,
un chou Dordedans,
une montagne…

21

Monsieur Monsieur
rend visite à Mademoiselle Moiselle.
« Qu'est-ce que c'est ? »
demande Monsieur Monsieur.
« C'est un chapeau à secrets »,
répond Mademoiselle Moiselle.

« Il est très grand ! »
« C'est exprès. »

« Je vais vous dire un secret »,
dit Mademoiselle Moiselle.
« Moi aussi »,
répond Monsieur Monsieur.